SEJA UM PROFISSIONAL DE ALTO RENDIMENTO

**JAMIL ALBUQUERQUE
E EDUARDO MENDES**

SEJA UM PROFISSIONAL DE ALTO RENDIMENTO
MENSAGEM A GARCIA COMENTADA

5 PASSOS PARA ALCANÇAR A EXCELÊNCIA

Copyright © Jamil Albuquerque, 2018
Copyright © Luis Eduardo Mendes, 2018
Copyright © Editora Planeta do Brasil, 2018
Todos os direitos reservados.

Preparação: Fernanda Pantoja
Revisão: Lívia Stevaux e Elisa Martins
Diagramação: Abreu's System
Capa: Rafael Brum
Imagem de capa: UpperCut Images / Getty Images

Dados Internacionais de Catalogação na Publicação (CIP)
Angélica Ilacqua CRB-8/7057

Albuquerque, Jamil
  Seja um profissional de alto rendimento: uma carta a Garcia comentada / Jamil Albuquerque e Eduardo Mendes. - São Paulo: Planeta do Brasil, 2018.

  ISBN: 978-85-422-0932-7

  1. Sucesso 2. Sucesso nos negócios 3. Carreira profissional – Sucesso 4. Liderança 5. Hubbard, Elbert, 1856-1915. Mensagem a Garcia I. Título II. Mendes, Eduardo

18-0337   CDD 158.1

2018
Todos os direitos desta edição reservados à
EDITORA PLANETA DO BRASIL LTDA.
Rua Padre João Manuel, 100 – 21º andar
Ed. Horsa II – Cerqueira César
01411-000 – São Paulo-SP
www.planetadelivros.com.br
atendimento@editoraplaneta.com.br

*Conheço pessoas que triunfam
e sempre triunfarão.
Sabem por quê?
Eu lhes direi o porquê.
Porque nunca desistem dos seus sonhos
e sempre terminam aquilo que começam.*

SUMÁRIO

Introdução	9
Mensagem a Garcia	19
Um grande homem	23
Uma aposta	25
Será exagero?	30
Apologia do autor	32
Os 5 passos para alcançar a excelência	37
Primeiro passo	39
Segundo passo	47
Terceiro passo	59
Quarto passo	65
Quinto passo	79

INTRODUÇÃO

*A excelência de um líder se mede
pela capacidade de transformar os
problemas em oportunidades.*

PETER DRUCKER

Há mais de uma década treinamos executivos de alto desempenho por meio do programa Master Mind e já presenciamos muitos cenários antagônicos na economia do Brasil e do mundo. Entre tempos de crise e de prosperidade, sempre estivemos presentes nas empresas, na educação corporativa e no desenvolvimento comportamental das pessoas.

Se há uma unanimidade em todos os cenários vividos, nacional ou internacional, ela se chama "a busca pela excelência". E o que quer dizer excelência? Ela tem origem na palavra *essência*, que quer dizer "sem a qual não". Ou seja, essência é a substância inicial, básica, o princípio que ativa o início de qualquer coisa. A palavra *excelência* quer dizer "essência transbordada": quando a essência é tão boa e tão forte que se exterioriza. Mas como se constrói a excelência? O detalhe é a matéria-prima da excelência. Vamos conhecer como ativar esses detalhes.

Não há crise nem prosperidade capazes de minimizar a importância da excelência nas empresas. Seja no processo de globalização, nas grandes crises econômicas, nas aberturas de mercado, na concorrência desleal em mercados dominados por grandes potências internacionais ou, ainda, na frenética revolução tecnológica, uma única certeza rege as relações internas das empresas, dos governos, das ONGs e, consequentemente, das pessoas que as lideram: tudo muda o tempo todo!

E a sobrevivência corporativa está nas mãos das pessoas que aprendem a ser excelentes. Essas pessoas transformam o mundo e evoluem com ele; não assistem as mudanças como coadjuvantes, elas são as verdadeiras protagonistas da história da humanidade.

A busca pela excelência talvez seja o grande fator responsável pelas avaliações sempre positivas do nosso treinamento a cada turma concluída. A exemplo do nosso grande professor, Napoleon Hill, temos certeza de que os mais de 200 instrutores espalhados por todo o Brasil têm um compromisso com a excelência. E cada um deles, a seu modo singular, contribui para o desenvolvimento comportamental de cada participante e busca torná-lo mais excelente a cada dia. Ousamos dizer que a excelência é o nosso "master mind".

Dito isso, fica mais fácil entender por que o texto "Mensagem a Garcia" é distribuído, há mais de dez anos, em nossos treinamentos de liderança. Não há uma história tão rica em detalhes que resuma tão bem e de forma tão prática, em suas poucas páginas, importantes conceitos presentes em nossa filosofia Master Mind. Esse é um dos textos mais lidos do mundo. E não é por menos, pois, a cada leitura, temos uma nova descoberta. É impossível precisar que impacto ele pode ter na vida das pessoas.

No entanto, queríamos ir além. Após amadurecermos a ideia, resolvemos escrever juntos um livro que comentasse o texto original. Nosso objetivo era enriquecer ainda mais o entendimento das pessoas sobre tão rica reflexão. Durante o processo, ao agrupar os pontos principais do texto, conseguimos identificar – nesta que é a mensagem mais estudada no mundo corporativo – 5 passos para alcançar a excelência.

Esperamos que esta leitura que se inicia lhe traga bons momentos. Desejamos que nossas perguntas provoquem sua reflexão e nossas dicas práticas norteiem sua ação rumo à excelência pessoal e profissional.

Os autores

Você tem nas mãos um pequeno, porém épico, texto de Elbert Hubbard (1856-1915): o *Message to Garcia* [Mensagem a Garcia], publicado na revista *The Philistine*, em 1899.

Hubbard era empresário, começou a vida como vendedor e tornou-se famoso por este ensaio moralizante que, como ele próprio reconheceu, obteve a maior circulação conhecida em vida por um autor até então: 40 milhões de exemplares.

MENSAGEM A GARCIA

De todas as minhas memórias, a lembrança de um homem se destaca no meu horizonte como se fosse o planeta mais brilhante do sistema solar.

Quando começou a guerra entre a Espanha e os Estados Unidos, o que importava aos americanos era comunicar-se rapidamente com o chefe de um grupo de soldados, Garcia, que se encontrava em alguma fortaleza no interior do sertão cubano, mas sem que se pudesse precisar exatamente onde. Era impossível comunicar--se com ele pelo correio ou pelo telégrafo. No entanto, o presidente tinha que tratar de assegurar-se o quanto antes da sua colaboração. Que fazer?

Alguém lembrou ao presidente: "Há um homem chamado Rowan; e, se alguma pessoa é capaz de encontrar Garcia, há de ser Rowan".

Rowan foi trazido à presença do presidente, que lhe confiou uma carta com a incumbência de entregá-la a Garcia.

Não vem ao caso contar aqui como esse homem Rowan tomou a carta, guardou-a numa embalagem impermeável, amarrou-a sobre o peito e, após quatro dias, saltou de um barco a altas horas da noite, nas costas de Cuba; nem como se embrenhou no sertão para, depois de três semanas, surgir do outro lado da ilha, tendo atravessado a pé um país hostil; nem como entregou a carta a Garcia – são coisas que não vem ao caso contar aqui.

O ponto que desejo frisar é este: o presidente deu a Rowan uma carta para ser entregue a Garcia; Rowan pegou a carta e nem sequer perguntou: "Onde é que ele está?". Partiu imediatamente para atender ao pedido do presidente.

UM GRANDE HOMEM

Eis aí um homem cujo busto merecia ser fundido em bronze e sua estátua colocada em cada escola do país. Não é só da sabedoria dos livros que a juventude precisa, nem só de instrução sobre isto ou aquilo. Precisa, sim, de um endurecimento das vértebras, para poder mostrar-se competente no exercício de um cargo, para atuar com diligência, para dar conta do recado, para, em suma, levar uma mensagem a Garcia.

O general Garcia já não está neste mundo, mas há outros Garcias. Aos homens que se empenham em levar adiante uma empresa, em que a ajuda de outros se faz necessária, não têm sido poupados momentos de verdadeiro desespero ante a imbecilidade de grande número de homens, ante a inabilidade ou falta de disposição de concentrar a mente numa determinada coisa e fazê-la até o final.

Assistência irregular, desatenção tola, indiferença irritante e trabalho malfeito parecem ser a regra geral. Nenhum homem pode ser verdadeiramente bem-sucedido, a não ser que utilize todos os meios a seu alcance, quer seja a força, quer a persuasão, para obrigar outros homens a ajudá--lo. Às vezes Deus, Onipotente, na sua grande misericórdia, faz um milagre enviando um anjo de luz para auxiliar os mais competentes.

Leitor amigo, tu mesmo podes tirar a prova. Estás sentado no teu escritório rodeado de meia dúzia de empregados. Pois bem. Chama um deles e pede-lhe: "Queira ter a bondade de consultar a enciclopédia e de me fazer uma descrição sucinta da vida de Fritz Müller".

Será que o empregado vai dizer calmamente "sim, senhor" e executar o que lhe pediu?

Nada disso! Vai te olhar perplexo e, certamente, fará uma ou mais das seguintes perguntas:

- *Quem é Fritz Müller?*

- *Que enciclopédia?*
- *Onde está a enciclopédia?*
- *Fui eu acaso contratado para fazer isso?*
- *Não quer dizer Bismark?*
- *E se Carlos o fizesse?*
- *Ele já morreu?*
- *Precisa disso com urgência?*
- *Não será melhor que eu traga o livro para que o senhor mesmo procure o que quer?*
- *Para que quer saber isso?*

UMA APOSTA

E aposto dez contra um que, depois de haveres respondido a tais perguntas e explicado a maneira de procurar os dados pedidos e a razão por que deles precisas, teu empregado irá pedir a um companheiro que o ajude a encontrar Fritz Müller, e, depois, voltará a te dizer que tal homem não existe.

Evidentemente, pode ser que eu perca a aposta; mas, segundo a lei da probabilidade, tenho grandes chances de acerto. Ora, se fores prudente, não te darás ao trabalho de explicar ao teu ajudante que Fritz termina com Z e não com S, mas vais te limitar a dizer meigamente, esboçando o melhor sorriso: "Não faz mal, não se incomode", e, dito isso, vais te levantar e procurar tu mesmo.

Essa incapacidade de atuar independentemente, essa inércia moral, essa invalidez da vontade, essa atrofia de disposição de solicitamente se pôr em campo e agir são as coisas que relembram o advento do socialismo puro.

Se os homens não tomam a iniciativa de agir em seu próprio proveito, que farão quando o resultado do seu esforço redundar em benefício de todos? Por enquanto, parece que os homens ainda funcionam sob ameaça. O que mantém muitos empregados no seu posto e os faz trabalhar é o medo de que se não o fizerem, serem despedidos no fim do mês.

Anuncie precisar de um taquígrafo, e 9 entre 10 candidatos à vaga não saberão escrever nem pontuar, e, o que é mais sério, vão pensar que não é necessário saber fazê-lo.

Poderá uma pessoa dessas escrever uma carta a Garcia?

"Vê aquele funcionário?", dizia-me o chefe de uma grande fábrica.

"Sim, o que tem?"

"É um excelente funcionário. Contudo, se eu o mandasse levar um recado, talvez no caminho entrasse em 2 ou 3 casas de bebida e, quando chegasse ao seu destino, já não se recordaria mais da incumbência."

Será possível confiar a tal homem uma carta para entregar a Garcia?

Ultimamente temos ouvido muitas expressões sentimentais, externando simpatia para com os pobres entes que batalham de sol a sol, para os infelizes desempregados à cata do trabalho honesto, e tudo isso, quase sempre, entremeado de muitas palavras duras para com os homens que estão no poder.

Nada se diz do patrão que envelhece antes do tempo, num constante esforço para induzir eternos desgostosos e descontentes a trabalhar com consciência; nada se diz da sua longa e paciente procura por pessoal que, no entanto, muitas vezes nada mais faz do que "matar o tempo" logo que ele dá as costas.

Não há empresa que não esteja despedindo funcionários que se mostram incapazes de zelar pelos seus interesses, a fim de substituí-los por outros mais aptos. Quando os tempos são maus e o trabalho escasseia, esse processo de seleção se faz ainda mais escrupulosamente, pondo-se para fora, para sempre, os incompetentes e dispensáveis. É a lei da sobrevivência do mais apto. Cada patrão, no seu próprio interesse, trata somente de guardar os melhores: **aqueles que podem levar uma mensagem a Garcia.**

Conheço um homem de aptidões realmente brilhantes, mas sem a fibra necessária para gerir um negócio próprio. E também se tornou completamente inútil para qualquer outra pessoa, por ter a suspeita insana de que seu patrão, seja quem for, tencione oprimi-lo todo o tempo. Sem poder mandar, não tolera que alguém o mande. Se lhe fosse confiada uma mensagem a Garcia, provavelmente diria: "Leve-a você mesmo".

Hoje esse homem perambula errante pelas ruas em busca de trabalho, em quase petição de miséria. No entanto, ninguém que o conheça se aventura a dar-lhe trabalho porque ele é a personificação do descontentamento e da falta de iniciativa.

Por outro lado, numa demonstração de compaixão, derramamos também uma lágrima pelos homens que se esforçam por levar adiante uma empresa, cuja horas de trabalho não estão limitadas pelo som do apito e cujos cabelos ficam prematuramente esbranquiçados na incessante luta em que estão empenhados.

Eles lutam contra a indiferença desdenhosa, contra a imbecilidade crassa e a ingratidão atroz justamente daqueles que, não fossem seus espíritos empreendedores, andariam famintos e sem lar.

SERÁ EXAGERO?

Será que eu exagerei nas cores desse retrato? Pode ser que sim; mas, enquanto todo mundo tem prazer em divagar, quero lançar uma palavra de simpatia ao homem que imprime êxito a um empreendimento, ao homem que, apesar de uma porção de empecilhos, sabe dirigir e coordenar os esforços de outros, e que, após o triunfo, talvez verifique que nada ganhou; nada, a não ser sua mera subsistência.

Também eu carreguei marmitas e trabalhei como jornaleiro, como também tenho sido patrão. Sei, portanto, que alguma coisa se pode dizer de ambos os lados.

Não há excelência na pobreza por si só; farrapos não servem de recomendação. Nem todos os patrões são gananciosos e tiranos, da mesma forma que nem todos os pobres são virtuosos.

Todas as minhas simpatias pertencem ao homem que trabalha com consciência, quer o patrão esteja, quer não. E o homem que, ao lhe ser confiada uma carta a Garcia, tranquilamente assume a responsabilidade, sem fazer perguntas idiotas, e sem a intenção de jogá-la na primeira sarjeta que encontrar, ou praticar qualquer outra ação que não seja entregá-la ao destinatário. Esse homem nunca fica "encostado", nem se declara em greve para forçar um aumento de ordenado.

A civilização busca ansiosa, insistentemente, homens nessas condições. Tudo que lhe for pedido, ele conseguirá atender. Precisa-se desse homem em cada cidade, em cada vila, em cada lugarejo, em cada loja, fábrica ou venda. O grito do mundo inteiro praticamente se resume assim:

Precisa-se, com urgência, de um homem capaz de levar uma mensagem a Garcia.

Adaptado do original de Elbert Hubbard

APOLOGIA DO AUTOR

Escrevi *Mensagem a Garcia* na noite de 22 de fevereiro de 1899. Encontrava-me com disposição para escrever, e o artigo brotou de meu coração. Foi redigido depois de um dia cansativo, durante o qual tinha procurado convencer algumas pessoas a saírem do estado de torpor em que se encontravam, esforçando-me para dar-lhes energia.

A ideia original veio de uma conversa com meu filho Bert. Enquanto tomávamos café, ele procurou sustentar ter sido Rowan o verdadeiro herói da Guerra de Cuba. Rowan foi o homem que se pôs a caminho, só, e deu conta do recado – levou a mensagem a Garcia. *É verdade*, disse comigo mesmo, *o rapaz tem toda razão, o herói é aquele que dá conta do recado.*

Levantei-me da mesa e escrevi *Mensagem a Garcia*. O artigo foi publicado na revista *The Philistine*.

Pouco depois de a edição ter saído do prelo, começaram a chegar pedidos para exemplares adicionais do número de março. Primeiro uma dúzia, depois 50, 100; e quando a American News Company encomendou mais mil exemplares, perguntei a um dos meus empregados qual o artigo que havia motivado os pedidos. "Esse de Garcia", respondeu ele.

No dia seguinte, chegou um telegrama de George H. Daniels, da Estrada de Ferro Central de Nova York, dizendo: "Indique preço para 100 mil exemplares do artigo de Rowan, sob forma de folheto". Respondi indicando o preço e acrescentando que podia entregar os folhetos dali a dois anos.

O resultado foi que autorizei o sr. Daniels a reproduzir o artigo conforme lhe fosse viável. Ele o fez então em forma de folheto, e o distribuiu em tal profusão que 2 ou 3 edições de meio milhão se esgotaram rapidamente.

Aconteceu que, justamente quando o sr. Daniels estava fazendo a distribuição da *Mensagem a Garcia*, o príncipe Hilakoff, diretor das estradas de ferro russas, se encontrava nos Estados Unidos. Ele viu o folheto e interessou-se pelo seu conteúdo.

Quando o príncipe regressou à sua pátria, mandou traduzir o folheto para o russo e entregar um exemplar a cada empregado das estradas de ferro. O breve trecho foi imitado por outros países, entre eles Alemanha, França, Turquia e China. Durante a guerra entre a Rússia e o Japão, foi entregue um exemplar de *Mensagem a Garcia* a cada soldado russo que se encaminhava ao front.

Os japoneses, ao encontrar livrinhos em poder dos prisioneiros russos, chegaram à conclusão de que havia de ser coisa boa, e não tardaram em traduzi-lo para o japonês.

Calcula-se que mais de 100 milhões de exemplares de *Mensagem a Garcia* foram impressos, o que é, sem dúvida, a maior circulação jamais atingida por qualquer trabalho literário durante a vida do autor, graças a uma série de circunstâncias felizes.

E. H. (East Aurora, 1º de dezembro de 1913)

OS 5 PASSOS PARA ALCANÇAR A EXCELÊNCIA

PRIMEIRO PASSO

Construa uma reputação positiva.

> *"Alguém lembrou ao presidente: 'Há um homem chamado Rowan; e, se alguma pessoa é capaz de encontrar Garcia, há de ser Rowan'."*

Por que algumas pessoas são lembradas positivamente e outras não? Por que nos lembramos de algumas empresas de forma positiva e recomendamos essas empresas a nossos amigos? Por que quando pensamos em profissionais competentes para serem promovidos nas empresas nos vem à mente determinada pessoa em detrimento de outras?

A resposta a essas perguntas está relacionada a uma palavra simples, porém poderosa: reputação. Reputação (do latim, *reputatione*) é uma opinião, uma avaliação social do público em relação a uma pessoa, um grupo de pessoas ou uma organização.

Na Olimpíada do Rio de Janeiro em 2016, ocorreu um caso emblemático e amplamente difundido, relacionado à reputação e suas consequências. O caso envolveu 4 nadadores americanos que afirmaram terem sido assaltados no Rio de Janeiro ao voltarem de uma festa. Entre eles, estava um dos principais destaques americanos na Olimpíada, Ryan Lochte. Lochte estava acompanhado de Gunnar Bentz, Jack Conger e Jimmy Feigen.

A Policia Federal, ao investigar o caso, notou contradições e concluiu – o que mais tarde foi comprovado – que os nadadores se envolveram em uma briga e que não houve assalto. As provas desse fato mudaram a avaliação pública sobre Ryan Lochte, que de atleta de alto rendimento passou a ser conhecido como aquele que mentiu, alguém em quem não se pode confiar. Como consequência, o nadador perdeu 4 de seus principais patrocinadores: a

Speedo USA, a Ralph Lauren, a empresa de cosméticos Syneron Candela, além da marca de colchões Airweave.

O Comitê Olímpico dos Estados Unidos e Ryan Lochte pediram desculpas formais ao Brasil.

Esse caso relata algo muito típico, uma carreira que foi comprometida em função da reputação criada com base em uma situação isolada.

A reputação é como o nascer do sol, vai existir independentemente da nossa consciência e do nosso desejo. As pessoas sempre terão uma avaliação sobre nós.

☞ Dica preciosa: nossas ações precisam confirmar nossas palavras.

Uma reputação positiva é criada quando nossas ações confirmam nossas palavras. Você não é obrigado a dizer nada a ninguém. Felizmente temos essa liberdade de escolha, mas à medida que dizemos algo, nos tornamos escravos de nossas palavras. Portanto, a equação é muito simples: se você prometeu, cumpra.

Quantos profissionais você conhece que dizem que vão fazer algo e não o fazem, que descumprem prazos ou simplesmente se esquecem de entregar o que prometeram? Se você é esse tipo de profissional e quer construir uma reputação positiva, mude. E mude rápido, porque sua imagem já está sendo arranhada.

Autoavaliação

Você se atrasa com frequência em seus compromissos? Seu líder imediato lhe cobra com frequência as atividades que lhe foram delegadas? Você raramente é lembrado para atividades que de fato são importantes e tem aquela sensação de que sua carreira está parada no tempo?

Se suas respostas a essas perguntas foram positivas, repito: mude. E mude rápido, porque sua imagem já está sendo arranhada.

Quando um general tem uma missão muito importante que precisa ser cumprida, ele escala seu melhor soldado, no caso, o Rowan.

Quando um líder precisa de algo importante a ser realizado, ele escala seu melhor liderado.

Quando um cliente precisa de algo que realmente tem valor, ele se lembra e faz negócios com um fornecedor de extrema confiança.

Então, você tem a oportunidade de fazer parte do grupo de pessoas que têm uma reputação positiva, uma reputação que as tornam essenciais para as atividades importantes. Profissionais essenciais crescem com consistência em suas carreiras e são muito mais valorizados.

PENSE NISSO!

Em síntese, para construir uma reputação positiva, pense duas, três, quatro vezes, quantas vezes forem necessárias antes de dizer um sim. Mas uma vez que ele for dito, cumpra o que prometeu.

Faça suas ações confirmarem suas palavras e você será cada vez mais valorizado.

SEGUNDO PASSO

Foque no objetivo.

> *"Rowan foi trazido à presença do presidente, que lhe confiou uma carta com a incumbência de entregá-la a Garcia."*

Todos nós já ouvimos aquela fala que diz: "Se você não sabe para onde quer ir, qualquer lugar serve". A frase é simples e tem uma profundidade brutal.

Quantos profissionais que não sabem exatamente suas funções nas organizações nós conhecemos? Que mal sabem seus objetivos nas equipes, muito menos seus objetivos na vida?

Pessoas assim conduzem suas carreiras para qualquer lugar. Seus filhos provavelmente estudarão em qualquer escola, e, infelizmente, quando precisarem de atendimento médico, suas famílias serão atendidas por qualquer médico em qualquer hospital.

Não ter clareza de objetivos é deixar a vida à mercê da sorte. E por que contar apenas com a sorte, se podemos ser proativos e gerar uma vida de abundância?

Napoleon Hill, um dos principais estudiosos do comportamento humano, já dizia: "Se você quer ter êxito, tenha objetivos bem definidos". Essa é uma das principais leis do êxito.

Autoavaliação

Você tem objetivos para sua vida e para sua carreira? Quando lhe delegam algo na organização, você tem clareza do que deve e do que não deve ser feito?

Para que tenhamos foco nas ações, são necessários 2 pontos:
- Ter um objetivo bem definido;
- Criar o Master Mind entre as pessoas.

PENSE NISSO!

☞ Dica preciosa: como definir um objetivo.

Existe um método relativamente conhecido para se determinar um objetivo. Ele é expresso pelo acróstico SMART e é bastante eficaz e claro em seus pontos. Portanto, ao definir suas atividades, verifique se esses 5 elementos estão presentes.

O "S" vem de *specific* ou específico. Ou seja, seu objetivo tem que ter especificidade naquilo que se quer atingir. Números e dados são fundamentais para que a meta se torne específica. Para ilustrar, vejamos alguns exemplos.

Alavancar as vendas, aumentar o faturamento, crescer na carreira e ser rico são objetivos muito imprecisos e genéricos. É impossível traçar um plano adequado para alcançá-los.

Aumentar vendas anuais de determinado produto em 30%, assumir a posição de gerente de produção ou, ainda, atingir uma renda mensal de 20 mil reais são objetivos mais tangíveis, nos quais se é possível envolver as pessoas e traçar planos detalhados para atingi-los.

O "M" vem de *measurable* ou mensurável. Isso quer dizer que é preciso ter um indicador sobre estar ou não no caminho certo. É como o velocímetro de um carro, que nos dá a medida se estamos ou não na velocidade desejada. Uma boa medida em relação ao crescimento na carreira, por exemplo, são as avaliações de desempenho.

O "A" vem a *achievable* ou atingível, alcançável. Ou seja, nossos objetivos precisam ser desafiadores, mas possíveis de serem atingidos. Muitos profissionais assumem responsabilidades demais e envolvem pessoas nesses objetivos. O resultado óbvio é a frustração. Então, é necessário fazer uma análise sobre a possibilidade ou não de atingir esses objetivos.

O "R" vem de *relevant* ou relevante. Ou seja, os objetivos precisam ser importantes. Você precisa saber o contexto no qual suas atividades estão inseridas. Muitas vezes, menosprezamos atividades simples e tendemos a acreditar que elas não são importantes, mas saiba que o maior dos edifícios foi construído tijolo a tijolo. Então, execute atividades simples com todo o profissionalismo necessário, porque com toda certeza elas fazem parte do todo. Saber a relevância dos nossos objetivos é saber os seus porquês, uma condição necessária para que continuemos fazendo o que fazemos.

Por fim, o "T", que vem de *time* ou tempo. Ou seja, todo objetivo precisa de um prazo definido. Quando estabelecemos um prazo, nos obrigamos a estar mais concentrados em nossas atividades. Há uma diferença muito grande entre afirmar, por exemplo, que você precisa dobrar os seus rendimentos e levar uma vida inteira para isso e traçar um objetivo com um prazo definido, como dobrar os rendimentos nos próximos 3 meses.

Geralmente, a definição de um prazo para um objetivo definido nos leva a uma série de alinhamentos com as outras 4 características desse objetivo, e aí está o grande segredo do triunfo. Essa definição também nos ajuda a canalizar energias para cada etapa do cumprimento desse objetivo.

Portanto, inspirados em Rowan, ao ter um objetivo, devemos definir cada um dos itens do método SMART, imbuindo-nos do espírito realizador. Acima de tudo, isso aumentará nossas chances de êxito, de atingir exatamente aquilo que se espera de nós.

☞ Dica preciosa: construindo o Master Mind.

Master Mind é uma expressão mundial para designar aquelas pessoas que têm desempenho acima da média, que se destacam em suas áreas de atuação.

Bons profissionais são aqueles que sabem criar o Master Mind, ou seja, sabem criar um espírito de harmonia e cooperação entre as pessoas para que se atinja um objetivo em comum.

Quantos profissionais com pouca habilidade de lidar com pessoas conhecemos? Por vezes, são ótimos técnicos, têm objetivos definidos, mas têm dificuldade de manter o foco porque não conseguem a colaboração dos colegas de trabalho. Quantas pessoas conhecemos que têm objetivos para suas vidas, mas que infelizmente não conseguem o apoio de suas famílias e, assim, têm dificuldade em manter o foco nesses objetivos?

O apoio das pessoas é fundamental para que os resultados sejam positivos. Portanto, saiba unir as pessoas que são fundamentais para seus objetivos. Sejam eles profissionais ou pessoais, a caminhada fica mais prazerosa se esse espírito de cooperação for criado. Ter consciência da importância de se criar o Master Mind significa estar à frente de muitos profissionais. Portanto, é importante fazer uma autoavaliação sobre como é sua habilidade em lidar com pessoas.

Autoavaliação

Você sabe valorizar as pessoas que lhe apoiam? Você tem uma boa comunicação a ponto de levar as pessoas à ação? Quando foi a última vez que alguém lhe apoiou voluntariamente em alguma atividade?

Se as respostas a essas perguntas foram negativas, comece já a reconhecer as pessoas que lhe apoiam em seus objetivos, comunique-se melhor e, principalmente, aceite a ajuda das pessoas que estão dispostas a apoiá-lo.

PENSE NISSO!

"O mundo abre passagem para quem sabe aonde está indo." Saiba estabelecer bons objetivos e crie o Master Mind com as pessoas-chave que as portas se abrirão para o seu êxito profissional.

TERCEIRO PASSO

Aceite a tarefa a ser cumprida.

> *"Não vem ao caso contar aqui como esse homem Rowan tomou a carta, guardou-a numa embalagem impermeável, amarrou-a sobre o peito e, após quatro dias, saltou de um barco a altas horas da noite, nas costas de Cuba."*

Nada pode ser feito antes de *aceitar* que há uma tarefa a ser cumprida. Parece tão óbvio que nem precisaria ser mencionado, certo? Mas nem sempre o óbvio é observado. Puxe pela memória. Quantas vezes você relutou em aceitar que uma tarefa difícil tenha vindo cair justamente em suas mãos? "Poxa, logo eu é que vou ter de fazer isso?" ou "Sobrou para mim...".

Mas em tempos como o em que vivemos – de alta competitividade no mercado de trabalho –, devemos estar prontos para aceitar até as missões mais árduas ou desconfortáveis. Se quisermos evoluir em nossa carreira profissional, devemos estar prontos para aceitar as tarefas que, aparentemente, são as mais difíceis. Afinal, ficar conhecido na empresa como um "solucionador de problemas", do tipo que abraça as missões sem titubear, fará com que seu nome seja sempre um dos primeiros a ser lembrado quando as melhores vagas precisarem ser preenchidas.

Pode até ser que o orgulho faça você não aceitar uma determinada tarefa. "Ora, já estou nesta empresa há tanto tempo. Eu deveria ser poupado desse tipo de esforço, afinal, já subi alguns degraus na carreira!" E talvez você até tenha razão, mas vale lembrar que o sr. Rowan, que entrou para a história por aceitar prontamente uma tarefa que parecia mais apropriada a um carteiro, era capitão do Exército dos Estados Unidos, ou seja, não era um simples soldado.

Já pensou que provavelmente tenham lhe pedido justamente por entenderem que você desempenharia melhor a tarefa do que qualquer outra pessoa na empresa? Aceitar e mostrar que se sente honrado em cumprir uma tarefa difícil demonstram não só comprometimento com as necessidades da empresa, mas também modéstia e, mais ainda, sua capacidade em fazer mais do que o combinado. Não há empresário que queira abrir mão de pessoas dispostas a fazer mais do que o combinado, pois esses tipos de funcionários são "agulhas no palheiro" e, em algum momento, acabarão sentando nos melhores lugares de comando das empresas.

PENSE NISSO!

☞ Dica preciosa: liderança pela iniciativa.

Há vantagens ao aceitar sem titubear. Ao agir com essa iniciativa, você envia um sinal claro a todos, tanto aos colegas quanto aos hierarquicamente superiores: estou aqui para somar e posso fazer mais do tenho feito. A iniciativa corajosa traz vários benefícios concretos a você mesmo, pois em tempos de crise ela permite que você preserve seu posto de trabalho e, em tempos de bonança, aumenta suas chances de galgar degraus mais altos dentro da empresa.

QUARTO PASSO

Aja com entusiasmo e será um entusiasta.

> *"Se embrenhou no sertão para, depois de três semanas, surgir do outro lado da ilha, tendo atravessado a pé um país hostil. [...] Rowan pegou a carta e nem sequer perguntou: 'Onde é que ele está?'. Partiu imediatamente para atender ao pedido do presidente."*

Se fizéssemos um ranking das frases mais repetidas nas empresas, esta facilmente ficaria entre as primeiras: "Vou começar a fazer isso amanhã!". Ou então, alguma variante dela: "Vou iniciar na segunda-feira" ou, ainda, "Ano que vem eu vejo". Isso se deve ao hábito da procrastinação, que é cultivado pela maioria das pessoas.

Procrastinar é o famoso "empurrar com a barriga", e todos nós, ao menos uma vez na vida, já procrastinamos. Quem nunca fez corpo mole para começar uma dieta, parar de fumar, fazer exercícios físicos ou iniciar uma tarefa? Esses adiamentos, aparentemente inofensivos, são os maiores vilões da realização. Muitas vezes andam de mãos dadas com a preguiça e, juntos, boicotam nossas metas e trazem consequências indesejáveis para nossa vida.

Quando deixamos o assunto – seja ele qual for – para tratar depois e, lá na frente, não o concluímos como tínhamos planejado, inevitavelmente constatamos que o tempo que levamos para dar início a ele foi o motivo principal do fracasso.

E, curiosamente, arrumamos as melhores desculpas para procrastinar. A criatividade pessoal entra em cena quando deixamos de entregar um bom trabalho por ter adiado a tarefa e, inconformados com o resultado ruim, nos esmeramos em fabricar justificativas que amenizem nosso sentimento de frustração. É como se uma voz interior dissesse: "A culpa não foi minha". Agindo assim, boicotamos nosso potencial num triste processo de vitimização, transferimos nossas responsabilidades para fatores alheios ao nosso controle e nos tornamos pessoas frágeis do ponto de vista da entrega de resultados.

Se quisermos ser pessoas eficazes, devemos nos posicionar como Rowan, estar dispostos a "entregar a carta a Garcia". E isso significa renunciar à postura crônica de procrastinação, sob pena de manchar nossa reputação caso insistamos em viver no marasmo.

Se tivermos algo a fazer, façamos. Se algum mau hábito nos tem feito patinar em nossa caminhada pessoal ou profissional, devemos deixá-lo. O terrível hábito da procrastinação, se não for extirpado, torna-se uma areia movediça que, com o tempo, pode nos engolir.

A boa notícia é que a procrastinação é um hábito (um mau hábito) e podemos anulá-lo em nosso interior se cultivarmos um bom hábito: o entusiasmo!

☞ Dica preciosa: aja com entusiasmo.

Já foi dito, e é sempre bom frisar, que o entusiasmo é o segredo pouco reconhecido do triunfo. O entusiasmo, disse Benjamin Franklin, é a pedra filosofal que transforma tudo em ouro.

Estudiosos de linguística definem o significado de entusiasmo como um estado de grande euforia e alegria, refletindo em uma maior coragem para a vida. É uma palavra que vem do grego e significa literalmente "sopro divino" ou "o Deus que habita dentro de nós".

É o entusiasmo que vence a procrastinação. Por essa razão trabalhamos tanto em nossos treinamentos com a frase "Aja com entusiasmo e será um entusiasta".

PENSE NISSO!

Uma pessoa que se esforça para se manter entusiasmada terá muito mais chances de alcançar seu objetivo, seja ele do tamanho que for. A imensa força interior que o entusiasmo nos traz capacita-nos a desenvolver e manter as decisões necessárias para alcançarmos nossa meta. É a força desse sentimento que nos dará a energia necessária para irmos um pouco mais além, antes de finalmente pararmos para descansar. É a chama dessa tocha acesa dentro de nós que nos fará ignorar o cansaço, a dor e a decepção que todos os dias tentam nos fazer desistir. No nosso dia a dia há sempre questões que contribuem para drenar nosso entusiasmo. No entanto, a decisão de deixar que as circunstâncias definam nosso ânimo é nossa. Não devemos deixar que os percalços do cotidiano nos tirem o ânimo. Há um ditado que diz: "Não podemos impedir que um passarinho passe voando sobre nossa cabeça, mas podemos impedir que ele faça um ninho em cima dela". Isso significa que todo e qualquer pensamento e as ações e os acontecimentos que possam tirar nosso ânimo devem ser escorraçados de dentro de nossa mente assim que tentem se instalar. Estar entusiasmado requer um mínimo de atenção aos tipos de pensamento que estamos nutrindo. Isso requer que tenhamos uma atitude mental positiva, pois sem ela é impossível manter-se entusiasmado. São dois lados da mesma moeda.

Como tudo o que é bom, útil e agradável na vida, o entusiasmo também tem um preço. Mas um preço que qualquer um pode pagar. É bastante conhecido o provérbio: "Dentro de nós existem 2 lobos, o lobo do ódio e o lobo do amor". Ambos disputam o poder sobre nós.

Quando perguntam qual lobo é o vencedor, a resposta é: aquele que alimentamos!

Isso vale para todos os outros sentimentos que fazem parte da nossa vida. Se alimentarmos o nosso lado positivo, seremos pessoas mais autoconfiantes e serenas, mas se alimentarmos o nosso lado negativo, teremos uma personalidade menos agradável.

É fácil estar entusiasmado quando as circunstâncias estão a nosso favor, mas apenas isso não é o suficiente para que alcancemos o sucesso. Assim, é fundamental que o entusiasmo seja um elemento constante. Precisamos desenvolver mecanismos que acendam em nosso interior a chama desse poder transformador. Acionar esses mecanismos é uma questão de escolha. É decisão nossa.

Autoavaliação

Como você tem reagido diante das situações adversas do cotidiano? Tem deixado que os pequenos reveses aniquilem seu humor? Tem permitido que palavras e atos negativos seus ou dos outros contaminem sua vontade? Você está "comprando" o negativismo exacerbado dos noticiários?

Ora, está claro para todos que nossa mente reagirá conforme a alimentarmos, logo, o conteúdo daquilo que vemos, lemos e apreciamos ao longo do dia afetará diretamente nosso entusiasmo. Então, já que vamos, querendo ou não, alimentar nossa mente ao longo do dia, que a alimentemos com coisas que nos energizem, nunca o contrário.

Nosso entusiasmo acompanhará o conteúdo daquilo que depositamos em nossa memória diária. Há uma infinidade de notícias e situações ruins que tentam sugar nosso ânimo, mas, graças a Deus, há também uma infinidade de coisas boas e energizantes povoando nosso cotidiano. Nós é que decidimos a qual das duas esferas daremos mais atenção. Ou enchemos nossa mente de negatividade ou enchemos nossa mente de positividade. A escolha é sua!

PENSE NISSO!

☞ Dica preciosa: alimente o entusiasmo que há dentro de você.

Há muitas maneiras de criar entusiasmo dentro de nós. O grande escritor norte-americano Norman Vincent Peale, chamado em seu país de Ministro dos Milhões de Ouvintes, em seu célebre livro *O poder do entusiasmo*, nos dá algumas dicas preciosas de como cultivar um espírito entusiasmado.

Eis aqui 2 delas:

- Coloque seu despertador para tocar 5 ou 10 minutos antes do horário habitual. Use esse tempo, de preferência ainda deitado, para ativar sua mente com frases encorajadoras, frases de gratidão, textos ou lembranças conhecidas que lhe tragam vigor. Não deixe que outro tipo de pensamento lhe roube esses minutos. Há estudos que apontam para o fato de que nosso dia é altamente influenciado por aquilo que pensamos nos primeiros minutos ao acordar.
- Na continuação desses pensamentos, logo ao se levantar, enquanto prepara o café ou no banho, diga a si mesmo mentalmente ou em voz audível palavras carregadas de

positividade e autoconfiança e, ainda, preces de gratidão pelas boas coisas que acontecerão ao longo do dia.

Esses poucos minutos de automotivação pela manhã lhe darão o *feeling* do dia. Independentemente do teor dos eventos do dia, eles o encontrarão com um nível de energia redobrado e não conseguirão derrubar seu ânimo e seu humor. Experimente, faça disso um hábito e em pouco tempo você notará a diferença. Aja com entusiasmo e será um entusiasta!

QUINTO PASSO

Termine aquilo que começou.

"Entregou a carta a Garcia."

Na última década, formamos mais de 80 mil líderes em nosso programa Master Mind Lince. Nele, formamos líderes de alto rendimento, ou seja, líderes capazes de alcançar resultados superiores, capazes de impactar o mundo positivamente. Nesse programa temos uma máxima que é repetida à exaustão, uma questão de honra para qualquer pessoa bem-sucedida: "Conheço pessoas que triunfam e sempre triunfarão. Sabem por quê? Eu lhes direi o porquê. Porque nunca desistem dos seus sonhos e sempre terminam aquilo que começam!".

Pessoas bem-sucedidas, que têm uma reputação positiva a zelar, aquelas que são sempre muito respeitadas, sempre terminam aquilo que começam. Quantas pessoas você e eu conhecemos que simplesmente desistem, deixam tarefas inacabadas, param na metade do caminho e estão sempre começando algo novo? São pessoas que fazem muito barulho e trazem muito pouco resultado. São pessoas com muita iniciativa, mas pouca "acabativa". Pessoas assim geralmente são pouco valorizadas.

Somos muito julgados por nossas ações e pouco por nossas palavras. Portanto, se fizermos as coisas pela metade, seremos pessoas pela metade, profissionais pela metade e provavelmente receberemos metade daquilo que desejaríamos. A vida é assim, colhemos exatamente o que plantamos, na medida exata.

☞ **Dica preciosa: cresça e desenvolva-se continuamente.**

Pessoas interessantes estão sempre se desenvolvendo, bons profissionais sempre buscam aprimoramento, empresas bem-sucedidas são aquelas nas quais seus profissionais estão sempre sendo treinados e conscientes com relação a seus pontos de melhoria.

É bem conhecida e bastante contada a história do velho lenhador que foi desafiado por outro mais jovem e mais forte. Ela ilustra de modo poderoso e eficaz a necessidade de ter nossas ferramentas sempre prontas e afiadas. A narrativa conta que o desafio foi aceito, e a notícia de que iriam competir levou os moradores da cidadezinha a se reunirem para torcer. Alguns torciam pelo jovem lenhador, porém eram mais numerosos os que torciam pelo ancião. Talvez tivesse chegado o dia em que ele perderia a condição de campeão imbatível entre os derrubadores de árvores em razão da imensa vantagem física do desafiante.

No dia e hora marcados, começaram a disputa, e o jovem se entregou ao trabalho certo de que seria o novo campeão. Ele golpeava sem descanso o machado contra o tronco das árvores, mas estava sempre de olho no velho lenhador, e percebeu que este, de quando em quando, se sentava por um tempo entre árvores e arbustos. O jovem concluiu então que seu concorrente estava velho demais para a disputa e que sua vitória era inevitável.

Ao final das horas estipuladas para a competição, mediram a produtividade dos dois, e o velho lenhador havia vencido mais uma vez. O jovem então perguntou, atônito:

"Muitas vezes olhei para o senhor durante a competição e notei que algumas vezes o senhor estava sentando descansando entre os arbustos.

No entanto, conseguiu cortar mais lenha do que eu! Como conseguiu?"

"Eu não estava descansando", respondeu o ancião. "Quando você me via sentado, na verdade, eu estava afiando meu machado. E percebi também que você usava bastante força, mas, mesmo assim, obteve pouco resultado, pois deixou seu machado ficar sem fio. Você afiou muito pouco seu instrumento de trabalho, rapaz!"

A partir dessa história, fica fácil identificar o que fez a diferença entre os dois, não é mesmo? O experiente lenhador fazia intervalos estratégicos para afiar sua ferramenta, e isso fez dele o vencedor da disputa. Stephen Covey, influente escritor e educador americano, chamava isso muito acertadamente de "Princípio de Autorrenovação Equilibrada". E é fácil entender por que ele o denominava assim: sem a busca pela autorrenovação, nossas forças vão aos poucos diminuindo, até que não nos reste nada. Afiar as ferramentas é se autorrenovar.

PENSE NISSO!

Autoavaliação

E você, tem se preparado? Quando foi a última vez que buscou algum tipo de treinamento ou aperfeiçoamento? Para terminarmos aquilo que começamos, preparo é fundamental. Profissionais bem preparados têm mais resultados com menos esforço, fazem mais em menos tempo.

☞ Dica preciosa: exercite a proatividade.

Muitas pessoas não terminam o que começam porque não têm proatividade, simplesmente ficam esperando que algo aconteça. Desistem no primeiro ou segundo obstáculo. Uma pessoa proativa toma a decisão de encontrar uma boa solução para qualquer dificuldade, mesmo diante da circunstância mais aflitiva.

Rowan não sabia nada sobre levar a carta até ser chamado pelo coronel Arthur Wagner. Alguém sem atitude proativa poria vários empecilhos antes de assumir a tarefa. "Mas assim, em cima da hora?", ou então "Preciso pensar por alguns dias antes de tomar a decisão", ou ainda "Já que vou viajar, preciso me organizar".

Não! Rowan não sabia sobre a viagem para outro país e a busca por alguém que nem ao menos sabiam onde estava quando lhe entregaram a tão importante carta – carta que precisava chegar às mãos do general Garcia o mais breve possível, sob pena de a guerra ser perdida caso a tarefa fosse mal executada.

Era o final do século XIX, ainda não havia carros velozes ou aviões, tampouco belas estradas asfaltadas. E para cumprir a árdua tarefa ele precisaria vencer uma distância de mais de 2 mil quilômetros. Alguns de nós talvez reclamássemos da imensa distância a percorrer em tão pouco tempo ou ainda chamássemos a atenção para alguma outra dificuldade da empreitada (que não eram poucas).

No entanto, a decisão de Rowan, assim que pegou a carta nas mãos, foi a única correta sob o ponto de vista de quem quer ir além e vencer na vida: ele **partiu para a ação**, responsabilizando-se pela entrega da carta. Nada de pensamentos paralisantes, mas, sim, muita proatividade.

O jovem Rowan não perdeu tempo enchendo o seu comandante de perguntas. Seria compreensível se fizesse algumas que lhe poupassem tempo de pesquisa sobre a rota a seguir. Afinal, tempo era matéria escassa naquele momento. No entanto, Rowan preferiu não perder tempo com conversa e partiu, imediatamente, para a ação. Qualquer que seja a missão, por mais simples que seja, sempre exigirá de nós uma atitude. Muitos ficam prostrados quando percebem ser uma missão que exige muito esforço. Olham para a tarefa pensando nas barreiras que terão de enfrentar e nas horas de lazer que terão de sacrificar. Esse tipo de pensamento contamina o ânimo e é contraproducente, mas, ainda hoje, é uma reação muito comum nas pessoas. Porém não precisamos ceder a esse pensamento inicial. Podemos mudar esse mau hábito de logo no início focar nas dificuldades, pois ele rouba nosso ânimo e nossa energia.

O uso do termo proativo ficou por muito tempo limitado ao campo da psicologia. O estudioso responsável por grande parte dessa teoria comportamental foi o célebre dr. Viktor Frankl, psiquiatra austríaco. Grande parte de seus estudos de comportamento deu-se enquanto estava preso no sombrio e temido campo de concentração de Auschwitz. Passou quase dois anos sob circunstâncias tenebrosas, existindo como um mero número (prisioneiro nº 119.104), vivendo entre outros milhares de pessoas presas e escravizadas naquele ambiente nefasto. Mas ele decidiu que encontraria um meio de passar por aquelas dificuldades. Mantinha-se proativo fazendo qualquer coisa para que sua mente funcionasse corretamente, mesmo depois de saber que sua mãe, irmã e esposa haviam sido mortas nas câmaras de gás. Sua missão era sair vivo do campo de concentração. E isso aconteceu no dia 27 de abril de 1945, quando as tropas aliadas libertaram os presos que conseguiram sobreviver àquela barbárie. Ser proativo foi uma decisão que deu um senso de direção, trouxe sentido e deu a vitória a um prisioneiro de Auschwitz. O mesmo se passará aos que se comprometerem a agir assim.

Uma pessoa que escolhe ser proativa receberá uma missão como essa com o pensamento voltado para as soluções possíveis – e para como terá de agir para conseguir chegar a cada solução. Profissionais que têm foco na solução de problemas e que têm iniciativa para agir estão mais próximos de terminar aquilo que começam. Saber por que fazemos o que estamos fazendo nos traz – por meio da razão – um sentimento muito forte que sustenta nossas ações, o qual chamamos de propósito. E, quanto maior esse sentimento, é mais provável que estejamos diante daqueles que terminam o que começam.

Repita para você mesmo até incorporar esse comportamento:

"Conheço pessoas que triunfam e sempre triunfarão.

Sabem por quê?

Eu lhes direi o porquê.

Porque nunca desistem dos seus sonhos. E sempre terminam aquilo que começam!"

Para profissionais de sucesso, missão dada é missão cumprida. Por isso, tenha como questão de honra sempre terminar com entusiasmo aquilo que começou. O sucesso estará mais próximo do que você imagina.

Leia também outros títulos do autor
publicados pela Editora Planeta:

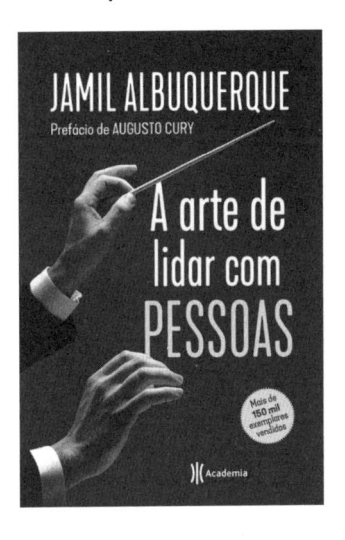

Escrito num estilo apurado, harmonioso e simples, *A arte de lidar com pessoas* se propõe a unir a capacitação e o humanismo, transformando a inteligência interpessoal numa grande vantagem competitiva. Neste texto, há práticas, filosofias e princípios totalmente revolucionários. Uma possibilidade fascinante de aprimoramento individual e cultural.

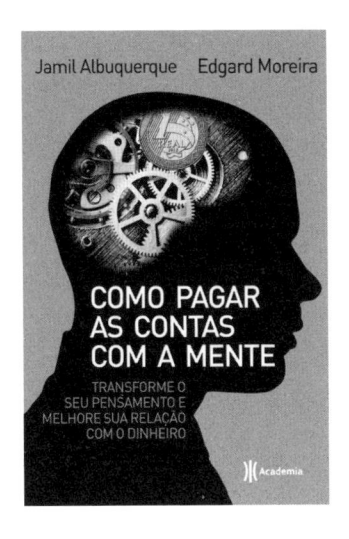

Problemas financeiros, quem ainda não enfrentou, vai, em algum momento da vida, enfrentar. Todos nós precisamos de dinheiro, a invenção mais transformadora e mais contraditória da humanidade. Aqui aprenderemos a usá-lo como uma solução e não como um problema.

A instituição MasterMind tem sua marca registrada na língua portuguesa e é a única autorizada e credenciada pela The Napoleon Hill Foundation (EUA) a usar seu selo oficial, sua metodologia em cursos, palestras, seminários e treinamentos que são altamente recomendáveis.

Mais informações: www.mastermind.com.br

Este livro foi composto em Adobe Garamond Pro e impresso
pela Intergraf para a Editora Planeta do Brasil
em maio de 2018.